100
SAUCES POUR
LES SALADES

100
SAUCES POUR
LES SALADES

TEXTE DE
SALLY GRIFFITHS

ADAPTATION FRANÇAISE DE
MARTINE RICHEBÉ

PHOTOGRAPHIES DE
SIMON WHEELER

EN COLLABORATION
AVEC LE FEATHERS HOTEL
À WOODSTOCK

GRÜND

SOMMAIRE

RECOMMANDATIONS

L'auteur a pris grand soin de proposer des recettes à base d'ingrédients qu'on peut se procurer à peu près partout. Néanmoins, certains peuvent sembler plus rares.

La sauce aux huîtres est de ceux-là. Elle est plus courante aux États-Unis et en Angleterre qu'en France, où on peut toutefois la trouver sous le nom d'Oyster Sauce.

La pâte aux haricots noirs, orientale, n'est pas non plus une denrée d'utilisation courante.

On trouve cependant l'une et l'autre dans les grandes surfaces et les hypermarchés, au rayon des produits exotiques.

Les tomates séchées au soleil, nature ou conservées à l'huile, se trouvent plutôt dans les épiceries fines et les épiceries italiennes.

La moutarde en grains recommandée par l'auteur se trouve en France sous le nom de moutarde de Meaux ou de moutarde à l'ancienne.

Les mesures par cuillerées s'entendent cuillère rase. Les mesures de liquides sont ici données en centilitres. Rappelons que 1 cl = 10 centimètres cube (10 cc).

Si votre verre mesureur est gradué en cc, n'omettez pas de faire la conversion nécessaire.

Et maintenant, préparez vos ingrédients et votre matériel et attendez-vous à recevoir des félicitations de vos convives !

INTRODUCTION

Je n'ai jamais pensé qu'il fallait avoir gagné un Grand Prix pour apprécier la conduite automobile, ou être classé parmi les trois premiers d'une course à la voile autour du monde comme la Whitbread pour aimer naviguer.

De même, je ne vois pas pourquoi il faudrait faire partie des plus grands chefs pour écrire un livre de recettes. J'adore tout simplement cuisiner, que ce soit un simple en-cas ou un repas plus élaboré destiné à de fins gourmets.

Comme la plupart des enthousiastes, j'aime faire part de mes découvertes à ceux qui partagent mon intérêt. Ainsi, quand on m'a proposé de rédiger cet ouvrage sur les sauces pour les salades, je me suis dit : « Pourquoi pas ? » Après tout, il existe peu d'ouvrages traitant de ce sujet, alors que nombreux sont les amateurs de cuisine qui aimeraient en savoir plus sur ces touches finales qui font la réussite d'un plat.

Mais tout enthousiasme frisant la passion a besoin d'un bon appui technique. Par chance, je savais exactement à qui m'adresser. En effet, à l'occasion de l'une de mes interventions pour le magazine House & Garden, j'avais rencontré David Lewis, chef cuisinier au Feathers Hotel à Woodstock, dans l'Oxfordshire. La sûreté de son talent, ses compétences culinaires et son style novateur et plein de vie m'ont vraiment impressionnée dès mes premières expériences avec lui. J'ai tout de suite su que David était la personne qu'il me fallait pour l'élaboration des recettes, non seulement parce qu'il est destiné à s'élever au rang des plus grands chefs, mais parce qu'il possède déjà, à l'âge « vénérable » de vingt-cinq ans, la qualité la plus rare que l'on puisse rencontrer chez un grand cuisinier : le désir de transmettre son savoir. Nous sommes donc devenus partenaires dans cette aventure. Je crois que les pages qui suivent sont le fidèle reflet de cette collaboration.

Huiles, vinaigres et condiments étant les ingrédients de base des sauces de salades, les premières pages de ce livre sont donc consacrées à définir leur rôle et leurs propriétés, mais vous y trouverez aussi d'autres informations intéressantes les concernant. J'ai estimé utile, par ailleurs, d'établir une liste des ustensiles et ingrédients les plus utiles à la confection des sauces. Le reste de cet ouvrage est composé des recettes d'une centaine de sauces dont la consistance varie entre la fluidité de la vinaigrette et la fermeté de la mayonnaise.

Chaque recette inclut des conseils d'accompagnement et de service donnés par David. La liste de ces recettes n'est bien sûr pas exhaustive, car il est impossible d'énumérer toutes les combinaisons possibles et rien ne peut remplacer vos propres essais d'associations (un index avec renvois vous suggère d'autres mariages intéressants).

Travailler avec David a non seulement été un véritable plaisir, mais m'a appris beaucoup sur ce sujet passionnant. J'espère que vous retirerez autant de satisfaction à lire et à utiliser ce livre que j'en ai eu à l'écrire.

MATÉRIEL NÉCESSAIRE

Vous trouverez dans la liste suivante tous les ustensiles ayant servi à l'élaboration des recettes. Ce sont pour la plupart des accessoires d'usage courant et il est inutile d'acheter un matériel plus sophistiqué. La verseuse à huile et le robot mixer font exception, mais ce sont de bons investissements, car ils font gagner du temps et rendent l'exécution des recettes plus facile et plus agréable.

Moulins à poivre et à sel Sel et poivre sont employés dans un grand nombre de recettes. Mieux vaut donc choisir des articles de qualité.

Planche à découper Une planche à découper permet d'éviter d'entailler le plan de travail.

Ensemble de bocaux à couvercle vissé Parfaits pour faire office de « shakers » quand il s'agit de mélanger les ingrédients, ou pour conserver les sauces

Fouet et/ou batteur électrique Précieux accessoires pour battre ou aérer les préparations, utilisés dans bien des recettes.

Couteaux Ils doivent être assez tranchants pour vous permettre d'émincer ou de hacher finement les ingrédients.

Presse-citron Procurez-vous un presse-citron qui retienne les pépins, pour éviter de les retrouver dans la sauce.

Mixer ou robot mixer Ces appareils vous feront sans aucun doute gagner du temps et de l'énergie.

Verre doseur Pour mesurer facilement les denrées courantes.

Verseuse à huile ou long entonnoir étroit s'adaptant au goulot de la bouteille d'huile. Irremplaçable pour la préparation de la mayonnaise. On les trouve dans les magasins spécialisés.

Pilon et mortier Très pratiques pour piler rapidement une petite quantité d'herbes fraîches, d'épices, d'ail, de grains de poivre ou de gros sel. Les aliments libèrent alors toute leur saveur.

Planche à découper en matière plastique Utile pour hacher de l'ail ou tout autre ingrédient laissant une odeur tenace ou des taches indélébiles.

Assortiment de bols Il est bon de posséder un ensemble de bols de tailles et de formes différentes pour le mélange des ingrédients.

Saladiers Le choix ne manque pas, du saladier en bois au saladier en verre ou en céramique, disponibles dans une large gamme de coloris. Prévoyez un saladier assez grand pour pouvoir tourner la salade sans en éparpiller les feuilles sur la table !

Raclette souple Un accessoire très pratique pour racler jusqu'à la dernière goutte de sauce !

Cuillères en bois Elles sont moins abrasives que les cuillères en métal.

PRODUITS DE BASE

La plupart des ingrédients employés dans les recettes de ce livre sont des produits d'usage courant. Quant aux autres, il n'est pas raisonnable de les avoir en réserve « juste au cas où », soit parce qu'ils se détériorent vite, soit parce qu'ils sont, de toute façon, meilleurs frais. La liste suivante a été composée pour vous permettre de préparer au moins cinquante des recettes de ce livre sans sortir de chez vous !

Huile
À conserver dans un endroit sombre et frais.
Huile d'olive, de noix, de sésame, de tournesol.

Vinaigre
À stocker à l'abri de la lumière, hermétiquement bouché.
Vinaigre de vin rouge, de vin blanc, d'alcool de riz, vinaigre balsamique.

Moutarde
À conserver de préférence au réfrigérateur.
Moutarde anglaise, moutarde de Dijon, moutarde à l'ancienne (en grains), moutarde aux fines herbes.

Sel et poivre
Le poivre en grains doit être placé dans un endroit sec.
Le sel ne réclame pas d'emballage hermétique,
mais il peut devenir humide.
Mélangé à quelques grains de riz, il restera sec.
Poivre noir et poivre vert en grains, gros sel, sel fin.

Condiments en pâte ou en purée
Se conservent longtemps tant que les pots n'ont pas été ouverts. Après ouverture, il faut les utiliser rapidement.
Pâte d'olives vertes, d'olives noires, de piments rouges, de poivrons rouges, pâte au curry, tapenade.

Sauces
À conserver à l'abri de la lumière.
Sauce au soja, tabasco, sauce au pistou, sauce aux huîtres, angostura bitters.

Noix et autres graines
À placer dans un récipient hermétique après ouverture de l'emballage.
Amandes effilées, pignons, noix, graines de pavot, de sésame, de cumin, de carvi.

Ingrédients généraux
Citrons verts au vinaigre, curry en poudre, filets d'anchois, olives noires et vertes, câpres, cornichons, condiment au raifort, poivrons rouges, miel liquide, cassonade, gelée de groseilles.

Au réfrigérateur
Yaourts nature, fromage blanc, crème fraîche, œufs.

Corbeille de fruits et légumes
Citrons et citrons verts, oranges, ail, échalotes, piments rouges.

Herbes aromatiques cultivées en pots
Estragon, ciboulette, persil, menthe, aneth, basilic, cerfeuil, coriandre.

13

HUILES

Une huile de qualité a le goût le plus savoureux qui soit et constitue l'un des ingrédients essentiels de la mayonnaise et de bien d'autres sauces de salades. Le meilleur moyen de devenir un connaisseur en ce domaine est de goûter des huiles d'origines diverses : Grèce, France, Espagne, Italie, par exemple. Chaque huile se distingue non seulement par sa saveur, mais aussi par son caractère.

D'où vient l'huile d'olive ? Elle est originaire d'Asie Mineure et du bassin méditerranéen. On cultivait déjà l'olivier en Syrie et en Palestine en 3000 av. J.-C.

Qu'est-ce qu'une huile d'olive vierge extra ? C'est une huile d'olive d'excellente qualité, extraite d'olives écrasées à froid et dite « de première pression ». On l'emploie pour donner un goût fruité aux sauces de salades. Dans les pays méditerranéens, elle remplace le beurre dans la cuisine.

Quelle est la valeur nutritionnelle de l'huile d'olive ? Elle est riche en graisses non saturées et il a été prouvé que, consommée en quantité importante, elle diminuait les risques de maladies cardiovasculaires.

Quelle est la meilleure façon de conserver l'huile d'olive ? En la plaçant dans un endroit sombre et frais.

À quoi reconnaît-on qu'elle est périmée ? À son odeur rance. Elle se conserve deux à trois ans dans un endroit frais, à l'abri de la lumière, mais un à deux mois seulement après ouverture. L'huile de noix, plus fragile, doit être placée au réfrigérateur.

L'huile d'olive conservée au réfrigérateur peut se figer et s'opacifier. Comment y remédier ? Soit en laissant la bouteille dans une pièce chaude, soit en la passant sous l'eau chaude. Elle retrouvera vite sa limpidité sans que son goût ou sa qualité en soient altérés.

Pourquoi certaines huiles d'olive sont-elles plus vertes ou plus foncées ? La teinte d'une huile dépend de la nature du sol et du climat de son lieu d'origine. Les huiles vertes deviennent dorées avec l'âge.

D'où viennent les huiles d'olive les plus parfumées ? Elles sont en général issues des régions les plus chaudes du bassin méditerranéen.

À quelle époque vaut-il mieux acheter l'huile d'olive ? Dans les pays méditerranéens, elle est produite entre décembre et février. Seuls quelques rares petits pays producteurs indiquent l'année de fabrication sur l'étiquette.

Comment choisir une huile d'olive ? En essayer plusieurs est le seul moyen de bien connaître l'éventail des différentes saveurs et de faire son choix. Comme pour le vin, le prix et l'appellation sont des critères de qualité. Une huile d'olive bon marché n'est pas très parfumée ; l'huile de tournesol lui est alors préférable.

Quelle est la meilleure huile d'olive pour les sauces de salades ? L'huile d'olive vierge extra — achetez-la en bidons, c'est plus économique.

Comment aromatiser l'huile d'olive ? En y faisant infuser épices et herbes aromatiques. Si vous les laissez dans la bouteille, elles sont en outre très décoratives.

Quel intérêt présentent les huiles aromatisées ? Celui de donner instantanément aux sauces plus de saveur.

Comment obtenir une huile aromatisée à l'ail ? En ajoutant quatre ou cinq gousses d'ail à 1 litre d'huile d'olive.

Quand l'huile végétale, de tournesol ou d'arachide doivent-elles être employées dans les sauces de salades ? Elles le sont soit pour des raisons d'économie, soit pour des raisons de goût personnel.

Pourquoi certaines huiles sont-elles si coûteuses ? Parce que la cueillette des olives est un travail long et fastidieux, effectué en général à la main, l'hiver. De plus, chaque arbre fournit environ 8 kg d'olives et il en faut 5 kg pour produire 1 litre d'huile.

VINAIGRES

Il existe un large éventail de vinaigres de qualités diverses, plus ou moins forts ou parfumés. Élément essentiel de nombreuses sauces à salades, le vinaigre doit être employé avec modération pour ne pas masquer le goût des aliments.

Quelle est l'origine du mot vinaigre ? Il signifie tout simplement « vin aigre ».

D'où vient le vinaigre ? Des pays méditerranéens. Il a probablement été découvert par hasard, du vin laissé en plein soleil ayant tourné à l'aigre. On s'en servait à l'origine pour décaper les métaux et conserver fruits et légumes.

Comment fabriquer du vinaigre ? En soumettant un liquide alcoolisé à l'action de l'air, de la chaleur et des bactéries.

D'où viennent les meilleurs vinaigres de vin ? Ils sont en général d'origine française.

Quand se sert-on de vinaigre de vin blanc ? Essentiellement quand on ne veut pas colorer une sauce ou quand on recherche un goût moins prononcé qu'avec le vinaigre de vin rouge.

Quand se sert-on de vinaigre de vin rouge ? Pour relever le goût d'une sauce, car il est plus fort que le vinaigre de vin blanc.

Comment et combien de temps conserve-t-on le vinaigre ? Il se conserve plusieurs années, mais se décolore et perd sa fraîcheur avec l'âge, surtout le vinaigre aromatisé aux herbes ou aux fruits. Il faut le stocker dans un récipient hermétique, à l'abri de la lumière.

À quoi juge-t-on la qualité d'un vinaigre ? Tout simplement à sa saveur et à son prix !

Qu'est-ce qu'un vinaigre balsamique ? Pendant des années, la recette du vinaigre balsamique est restée le secret jalousement gardé de la ville de Modène, en Italie. Sa première commercialisation ne date que de 1966. Épais, d'une teinte sombre et chaude, il est sucré et fruité. Il faut l'utiliser avec modération, car il est très fort. La qualité se paie : méfiez-vous des produits bon marché, souvent dilués avec des vinaigres de qualité inférieure.

Quels sont les principaux types de vinaigre ? Les vinaigres de vin, d'alcool, de cidre.

Quel est l'effet d'un vinaigre aromatisé sur une sauce de salade ? Il rehausse le goût de la salade en lui apportant la saveur des herbes ou des fruits utilisés pour parfumer le vinaigre.

Quelles sont les meilleures associations huile-vinaigre ? Un vinaigre de qualité, quel qu'il soit, se mariera toujours bien à une bonne huile d'olive.

Comment obtenir du vinaigre aromatisé aux herbes ? Incorporez quelques brins d'herbes aromatiques fraîches à du vinaigre de vin blanc et laissez reposer quelques semaines. Le temps de macération est variable, il faut goûter régulièrement. Filtrez et versez dans des récipients propres et bouchez-les hermétiquement. Ou laissez les herbes dans la bouteille, pour le plaisir des yeux.

Peut-on se servir d'herbes séchées pour aromatiser le vinaigre ? On peut, mais elles sont moins parfumées que les herbes fraîches.

Peut-on utiliser des fruits frais pour aromatiser le vinaigre ? Bien sûr. Des fruits très parfumés comme les framboises donnent d'excellents résultats.

Comment aromatiser un vinaigre avec des fruits ? Ajoutez 500 g de fruits frais à 1,25 litre de vinaigre de vin blanc. Versez dans des bocaux propres et laissez reposer dans un endroit chaud pendant quelques semaines. Secouez les bocaux de temps en temps. Filtrez le mélange ou laissez les fruits dans le vinaigre. Versez dans des bouteilles propres, étiquetez et bouchez.

Quels vinaigres aromatisés trouve-t-on dans le commerce ? La liste est longue, mais en voici quelques exemples : vinaigre aromatisé à l'estragon, à l'ail, à l'aneth, aux herbes, à la menthe, au romarin, au citron, aux pêches, aux framboises, aux myrtilles, aux mûres et aux groseilles.

CONDIMENTS

LA MOUTARDE est une épice forte, issue d'une plante apparentée au chou. Les plants de moutarde noire ou brune produisent de petites graines rondes très parfumées, alors que la moutarde blanche aux grosses graines jaunes, plus courante dans les régions méditerranéennes, est moins corsée.

De quand date la consommation de la moutarde ? Elle aurait fait sa première apparition sur une table en Égypte ancienne, vers 2000 av. J.-C. Plus tard, en 1316, le pape Jean XXII demanda à un cousin de Dijon de devenir son moutardier personnel et la moutarde devint très populaire aux 18e et 19e siècles, avec une centaine de variétés différentes.

Comment fabrique-t-on la moutarde ? Selon un procédé fort simple : les graines, après trempage, sont broyées en pâte. Pour la moutarde douce, les graines sont décortiquées. La pâte est ensuite assaisonnée de vinaigre et de sel pour sa conservation.

Quelle est la meilleure façon de conserver la moutarde ? En poudre ou en pâte, elle peut se conserver environ deux ans tant que le pot n'est pas ouvert. Après ouverture, la moutarde en pâte se met au réfrigérateur, celle qui est en poudre dans un endroit sec, à l'abri de la lumière.

Pourquoi certaines moutardes sont-elles jaune vif ? Parce qu'elles renferment du curcuma, souvent employé pour raviver la teinte ou la saveur des aliments.

Qu'est-ce qu'une moutarde aromatisée ? Une moutarde parfumée avec des herbes ou des épices. Plusieurs centaines de variétés sont disponibles dans les supermarchés et épiceries fines.

Quel est le rôle de la moutarde dans une sauce de salade ? Outre la saveur qu'elle apporte, la moutarde joue le rôle d'émulsifiant. Elle stabilise la mayonnaise et, dans une sauce vinaigrette, sert de liant entre huile et vinaigre.

Combien existe-t-il de types de moutarde aujourd'hui ? Sans doute des milliers ! Parmi les plus courantes, on trouve : la moutarde de Dijon, forte ou extra-forte, la moutarde américaine, jaune vif et sucrée, la moutarde de Bordeaux, douce, la moutarde anglaise, douce, forte ou extra-forte, la moutarde allemande, brune et douce et la moutarde de Meaux ou moutarde à l'ancienne, en grains, douce.

LE SEL était autrefois jugé si précieux qu'il servait d'offrande aux dieux. De nos jours, c'est un produit courant, bon marché, employé à des fins plus pratiques, que ce soit pour assaisonner ou conserver les aliments ou pour sa valeur nutritionnelle.

D'où vient le sel ? De la mer, il est alors récolté dans des marais salants, ou du sous-sol, extrait de mines de sel. Sel de mer ou sel gemme sont raffinés avant d'être commercialisés.

À quoi sert le sel ? C'est non seulement un releveur de goût, mais aussi un conservateur pour les aliments, qu'il soit utilisé tel quel ou mélangé à de l'eau pour faire de la saumure.

Quel type de sel vaut-il mieux employer dans les sauces à salades ? C'est une affaire de goût, mais beaucoup estiment que le sel gemme a plus de saveur que le sel de mer.

Quel est le rôle du sel dans la préparation des aliments ? Il attire l'eau des aliments et en extrait ainsi toute la saveur.

Comment conserver le sel ? Dans un endroit chaud et sec. En y incorporant quelques grains de riz, on évite qu'il s'humidifie.

Quel est le sel le plus goûteux ? Le sel non raffiné est jugé le plus goûteux, en particulier le sel de Guérande.

Qu'est-ce que le sel de table ? Du sel gemme ou du sel de mer finement moulu.

Comment rectifier l'assaisonnement d'un plat trop salé ? Ajoutez, par petites quantités à la fois, du jus de citron, du vinaigre ou du sucre.

Qu'est-ce qu'un sel non raffiné ? C'est un sel grossier de couleur grise, employé comme sel de cuisine. Il faut le piler au mortier et il est assez souvent vendu humide.

Quel est le sel le plus fort, le sel gemme ou le sel de mer ? Le sel gemme est plus fort et doit donc être utilisé avec plus de modération.

LE POIVRE, roi des épices, servit autrefois de monnaie au même titre que l'or. C'est la baie d'une liane tropicale appelée *Piper Nigrum*. Il absorbe aujourd'hui le quart du commerce mondial des épices, l'Inde étant de loin le plus grand pays producteur.

De quand date l'utilisation du poivre ? C'est aux environs du IVe siècle av. J.-C. qu'il a été mentionné pour la première fois, sous le nom sanskrit de *pippali*.

Qu'est-ce que le poivre ? Le poivre noir ou blanc est le fruit séché d'une liane tropicale d'origine indienne.

Comment conserver le poivre ? Les grains de poivre séchés doivent être conservés dans un récipient hermétique, au frais et à l'abri de la lumière.

Qu'est-ce que le poivre vert ? C'est la même baie consommée verte, sèche ou en saumure.

Pourquoi certains grains de poivre sont-ils noirs ? Ce sont des baies vertes qu'on a laissées fermenter quelques jours avant de les sécher au soleil.

Pourquoi le poivre noir en grains est-il si apprécié ? Fraîchement moulu, il exhale un délicieux parfum qui fait ressortir la saveur des aliments.

Qu'est-ce que le poivre blanc ? Une baie rouge, mûre, que l'on fait tremper dans l'eau après récolte pour la débarrasser de son enveloppe. Moins fort que le poivre noir, le poivre blanc est en général employé pour relever discrètement des aliments aux teintes délicates.

Existe-t-il différentes variétés de poivre ? Il n'existe qu'une seule plante produisant le poivre. Selon son lieu de culture et la méthode de séchage des baies, le poivre est plus ou moins fort ou parfumé.

Comment rectifier un assaisonnement trop poivré ? C'est assez difficile ; si la quantité de poivre est vraiment excessive, mieux vaut jeter la préparation et recommencer. Sinon, essayez de la rectifier avec du sucre ou du miel, selon la saveur des principaux ingrédients.

Quel intérêt présente l'emploi de poivre déjà moulu ? Aucun, à moins que vous n'ayez pas de moulin à poivre sous la main.

Comment concasser des grains de poivre ? Dans un mortier, ou en les mettant dans un sac plastique et en les écrasant au rouleau à pâtisserie.

LES CONDIMENTS EN PÂTE permettent de disposer instantanément d'aromates très parfumés. Une seule cuillerée suffit en général à rehausser la saveur d'une sauce.

Qu'est-ce qu'un condiment en pâte et à quoi sert-il ? C'est une purée de légumes, de fruits, de poisson ou de viande qui sert à donner plus de goût à une préparation.

Comment conserver un condiment en pâte ? Un pot non ouvert se conserve plusieurs années. Après ouverture, mieux vaut le placer au réfrigérateur. Pour éviter qu'il brunisse au contact de l'air, recouvrez-le d'une couche d'huile d'olive ou de tournesol. Vous pouvez ainsi le conserver très longtemps.

D'où viennent les condiments en pâte ? Les matières premières viennent du monde entier. Les pâtes d'artichauts, de tomates séchées, de champignons et d'aubergines sont originaires des régions méditerranéennes.

Quel est le parfum le plus apprécié ? On trouve dans le commerce un large assortiment de condiments en pâte. Toutefois, ce sont les pâtes d'olives noires ou vertes qui ont sans doute le plus de succès. L'idéal serait qu'elles soient fabriquées à partir d'une seule variété d'olives, avec chacune une saveur caractéristique.

19

RECETTES

MAYONNAISE TRADITIONNELLE

Cette recette de base permet d'obtenir 30 cl de mayonnaise, quantité suffisante pour 4 à 6 personnes.

2 jaunes d'œufs de calibre moyen

1 à 2 cuillerées à soupe de vinaigre de vin blanc

1 cuillerée à café de moutarde à l'ancienne

30 cl d'huile d'olive légère (l'huile d'olive vierge extra, trop forte, peut donner à la mayonnaise un goût amer)

Jus de 1/2 citron

Sel et poivre

Battre les jaunes d'œufs, le vinaigre de vin blanc et la moutarde dans un bol jusqu'à ce que le mélange blanchisse. Ajoutez alors goutte à goutte la moitié environ de la quantité d'huile sans cesser de remuer. Incorporez ensuite le reste de l'huile, très doucement, tout en continuant à battre. Assaisonnez au jus de citron, salez et poivrez.

MAYONNAISE EXPRESS

1 gros œuf entier

1 cuillerée à soupe de vinaigre de vin blanc

1 cuillerée à café de moutarde à l'ancienne

17,5 cl d'huile d'olive légère

17,5 cl d'huile de tournesol

Jus de 1/2 citron

Sel et poivre

Passez au robot mixer l'œuf, le vinaigre et la moutarde jusqu'à l'obtention d'une crème lisse. Sans arrêter l'appareil, incorporez l'huile en un mince filet continu. Ajoutez le jus de citron, salez et poivrez.

Utilisez une huile d'olive légère pour cette sauce ; une huile lourde et trop parfumée comme l'huile d'olive vierge extra peut lui donner un goût amer.

QUELQUES ASTUCES

*Si votre mayonnaise commence à tourner, **pas de panique !** Mettez un autre jaune d'œuf dans **un bol séparé** et, sans cesser de remuer, incorporez-y **goutte à goutte** la mayonnaise ratée. Terminez ensuite la recette.*

*• Veillez à ce que **tous** les ingrédients soient à la même température. Sortez-les du réfrigérateur 3 à 4 heures avant de faire votre mayonnaise. Vous courrez ainsi moins le risque de la voir tourner.*

• Si la préparation devient trop épaisse, délayez-la à l'eau, à raison d'une cuillerée à la fois, jusqu'à obtention d'une consistance normale.

• Dans le cas contraire, pour épaissir une mayonnaise, ajoutez lentement plus d'huile jusqu'à ce que le résultat recherché soit atteint.

• Une mayonnaise, nature ou aromatisée, peut être délayée pour servir de sauce à salade. Allongez-la avec 30 cl d'eau froide et mélangez bien. Il peut être plus approprié d'utiliser la moitié de la mayonnaise seulement et de ne la délayer alors qu'avec 15 cl d'eau.

• La mayonnaise peut se conserver 48 h au réfrigérateur, dans un récipient hermétique. Pour une mayonnaise plus économique, mélangez huile d'olive et huile de tournesol.

Ci-contre *Jatte de mayonnaise traditionnelle*

MAYONNAISES AROMATISÉES

HUILES AROMATISÉES

Un moyen simple de modifier la saveur d'une mayonnaise est d'employer pour sa confection une huile parfumée : huile de noix ou de noisette, huile au basilic, à la tomate, au romarin.

Dans la recette de base de la mayonnaise (page 23) remplacez les 30 cl d'huile d'olive par le mélange suivant : 25 cl d'huile d'olive et 5 cl d'huile aromatisée. Certaines huiles au parfum puissant — de sésame ou à la pistache, par exemple — sont à utiliser en plus faible proportion.

CONDIMENTS EN PÂTE, HERBES AROMATIQUES ET LÉGUMES

Vous pouvez aussi aromatiser une mayonnaise nature en lui incorporant un condiment en pâte ou un ingrédient plus consistant, comme un légume ou une herbe aromatique. Les quantités préconisées pour les recettes suivantes sont celles de la recette de base de la mayonnaise (page 23). Mais vous pouvez aussi réduire dans la même proportion tous les ingrédients suivant la quantité souhaitée.

Mayonnaise au piment *Délicieuse avec des aliments cuits au barbecue.*
Mélangez 2 cuillerées à café de purée de piment rouge à la mayonnaise nature. Ou 1 cuillerée seulement, pour un goût moins relevé.

Mayonnaise aux tomates séchées *La saveur piquante de la tomate séchée au soleil se marie bien au fromage de chèvre, aux champignons forestiers et aux pâtes.*
Mélangez 2 cuillerées à café de purée de tomate séchée à la mayonnaise. Salez et poivrez si nécessaire.

Mayonnaise au basilic *Délicieuse sauce estivale, parfaite avec les moules, les calamars, les coquillages, le riz au jambon.*
Incorporez intimement à la mayonnaise 1 cuillerée à soupe de purée de basilic. Salez et poivrez. Pour un supplément de saveur, ajoutez quatre grandes feuilles de basilic finement hachées.

Mayonnaise au raifort *Idéale pour relever un reste de rosbif, cette sauce goûteuse rehausse aussi les saveurs plus subtiles du jambon, du saumon, fumé ou non, ou du hareng fumé.*
Mélangez 2 cuillerées à soupe de purée de raifort à la mayonnaise. Salez et poivrez.

Mayonnaise à la betterave rouge *Haute en couleur, elle contraste agréablement avec des denrées de teinte claire, comme la morue ou le crabe.*
Prenez 50 g de betterave rouge, soit une petite betterave rouge cuite et finement râpée et mélangez-la intimement à la mayonnaise. Salez et poivrez.

Mayonnaise aux haricots noirs et à la sauce aux huîtres *Riche en saveur, cette sauce est divine avec du thon ou des brochettes de poisson grillés au barbecue.*
Incorporez 1 cuillerée à café de sauce aux haricots noirs et 1 cuillerée à café de sauce aux huîtres à la mayonnaise, salez et poivrez.

Mayonnaise à la moutarde à l'ancienne *Cette mayonnaise est idéale avec du fromage, du poulet grillé, du céleri ou de l'avocat.*
Mélangez 2 cuillerées à soupe de moutarde à l'ancienne, genre moutarde de Meaux, avec la mayonnaise. Salez et poivrez.

Mayonnaise au céleri-rave *La saveur délicate du céleri-rave est mise en valeur quand on l'associe à du jambon cuit, du saumon poché froid, du bœuf, du gibier ou du poulet cuit au barbecue.*
Mélangez 100 g de céleri cuit et réduit en purée à la mayonnaise. Salez et poivrez.

Mayonnaise aux asperges *Cette mayonnaise au goût délicat est le complément idéal d'aliments à la saveur subtile comme la truite fumée ou le saumon fumé.*
Mélangez 100 g d'asperges cuites et finement hachées à la mayonnaise. Salez et poivrez.

Mayonnaise au curry *Cette sauce aux multiples emplois peut être chaude et épicée ou douce et crémeuse selon le plat qu'elle accompagne. Essayez-la avec du saumon, de la dinde, du poulet ou du bœuf aux pommes de terre.*
Mélangez 1 cuillerée à café de pâte au curry à la mayonnaise. Salez et poivrez. Réduisez la quantité de curry si vous préférez une saveur moins relevée. Essayez aussi d'autres condiments indiens en pâte (tikka, tandoori ou satay) à la place du curry.

*La recette de la mayonnaise traditionnelle (page 23)
sert de base aux recettes suivantes*

MAYONNAISE AU SAFRAN

Cette mayonnaise au parfum délicat accompagne à merveille le saumon fumé, le poisson poché ou grillé, les pommes de terre nouvelles et les haricots blancs.

Mayonnaise (recette de base)

1/2 cuillerée à café de safran en poudre ou en filaments

15 cl de vermouth sec

Mettez le safran et le vermouth dans une casserole à fond épais et faites réduire à feu moyen jusqu'à évaporation des deux tiers du liquide. Retirez du feu et, après refroidissement, mélangez à la mayonnaise. Salez et poivrez si nécessaire.

MAYONNAISE AU SOJA ET AU GINGEMBRE

Cette sauce appétissante, au parfum très oriental, est délicieuse avec le canard, l'oie, le chou-fleur, les germes de soja, les haricots blancs ou le riz complet.

Mayonnaise (recette de base)

15 cl de sauce au soja

25 g (2 cuillerées à soupe) de gingembre confit finement haché

15 cl de miel liquide

1 échalote finement hachée

1 gousse d'ail écrasée

8,5 cl de vinaigre balsamique

Mettez tous les ingrédients, sauf la mayonnaise, dans une casserole à fond épais et laissez réduire lentement à feu doux jusqu'à évaporation des 3/4 du liquide. Retirez du feu et, après refroidissement, passez le mélange au mixer jusqu'à l'obtention d'une purée. Versez dans un bol et incorporez la mayonnaise nature. Salez et poivrez.

• *Pour une saveur moins corsée, ne mélangez que la moitié de la purée à la mayonnaise.*

Ci-contre *Assortiment de mayonnaises aromatisées, dont la mayonnaise au caviar et à l'aneth, celles au safran, au soja et au gingembre, au pistou, à la poitrine fumée et à l'estragon*

MAYONNAISE AU PISTOU (OU BASILIC)

Éternel succès, cette mayonnaise au parfum extraordinaire est délicieuse avec des crevettes, des coquilles Saint-Jacques, du sanglier fumé, de l'oie fumée ou des légumes cuits au barbecue.

Mayonnaise (recette de base)

1 cuillerée à soupe de sauce au pistou (ou basilic)

Jus de 1/2 citron

Mélangez sauce au pistou et jus de citron, puis incorporez-les à la mayonnaise. Salez et poivrez.

MAYONNAISE À LA CORIANDRE ET AU CITRON VERT

Cette sauce savoureuse, simple à réaliser, accompagne à merveille le flétan, les coquilles Saint-Jacques, la truite et les moules.

Mayonnaise (recette de base)

25 g (2 cuillerées à soupe) de coriandre fraîche hachée

Zeste râpé de 2 citrons verts

Jus de 2 citrons verts

Mettez tous les ingrédients dans un bol et mélangez bien. Salez et poivrez.

MAYONNAISE AU CAVIAR ET À L'ANETH

Une pure folie, mais un véritable délice avec le homard, les scampi, le poisson cuit à la vapeur ou au four et le concombre.

Mayonnaise (recette de base)

25 g (2 cuillerées à soupe) d'aneth frais haché

50 g (1/4 de tasse) de caviar

Jus de 1/2 citron

Mettez tous les ingrédients dans un bol et mélangez bien jusqu'à ce que la sauce soit bien homogène. Salez et poivrez.

MAYONNAISE AU POIVRON ET AU PIMENT

Terriblement appétissante, cette sauce épicée accompagne à merveille des aliments cuits au barbecue : artichauts, poivrons, aubergines, crevettes, saucisses ou steaks.

Mayonnaise (recette de base)

50 g de poivron rouge finement haché

2 piments rouges finement émincés

1 cuillerée à café d'ail écrasé

1/2 cuillerée à café de tabasco

Mettez tous les ingrédients dans un bol et mélangez bien. Salez et poivrez.

MAYONNAISE À LA MOUTARDE ET À L'ESTRAGON

La saveur subtile de cette mayonnaise rafraîchissante accompagne parfaitement le poulet, la pintade, les tomates, le jambon et les fèves.

Mayonnaise (recette de base)

25 g (2 cuillerées à soupe) d'estragon frais haché

2 cuillerées à soupe de moutarde en grains

Mettez tous les ingrédients dans un bol et remuez jusqu'à ce que le mélange soit bien homogène. Salez et poivrez.

MAYONNAISE À L'AIL (AÏOLI)

Cette sauce aux emplois variés est une valeur sûre. Très populaire dans le sud de la France, elle accompagne parfaitement les pâtes, le poulet, le bœuf, les poivrons grillés, les coquillages et les fruits de mer.

2 jaunes d'œufs durs, passés au chinois

1 jaune d'œuf de calibre moyen

4 gousses d'ail écrasées

1 à 2 cuillerées à café d'eau

30 cl d'huile d'olive

Jus de 1/2 citron

Sel et poivre

Battez en crème les jaunes d'œufs cuits et le jaune d'œuf cru avec l'ail, puis ajoutez l'eau pour obtenir une crème onctueuse. Incorporez alors l'huile d'olive goutte à goutte en ne cessant de remuer. Salez, poivrez et ajoutez le jus de citron.

MAYONNAISE AUX ÉPINARDS ET À LA NOIX DE MUSCADE

Une merveilleuse association qui accompagne à merveille des aliments simples et naturels comme les lentilles, le fromage, les poireaux, le jambon ou les pommes de terre.

Mayonnaise (recette de base)

100 g d'épinards cuits et mixés en purée

1/2 cuillerée à café de noix de muscade râpée

Jus de 1/2 citron

Mettez tous les ingrédients dans un bol et remuez jusqu'à ce que le mélange soit bien homogène. Salez et poivrez.

MAYONNAISE TARTARE

Mayonnaise goûteuse, idéale en association avec des aliments à saveur plus délicate comme le pain de poisson, le thon, le poisson frit, les champignons et les pommes de terre.

Mayonnaise (recette de base)

25 g de câpres finement hachées

25 g (2 cuillerées à soupe) de cornichons finement hachés

1 échalote finement hachée

25 g (2 cuillerées à soupe) de persil frais haché

Jus de 1/2 citron

Mettez tous les ingrédients dans un bol et mélangez bien. Salez et poivrez si nécessaire.

MAYONNAISE À LA POITRINE FUMÉE ET À L'ESTRAGON

Une ingénieuse combinaison qui peut être utilisée de cent façons différentes. Essayez-la avec des tomates, des haricots ou des lentilles, par exemple.

Mayonnaise (recette de base)

100 g de fines tranches de poitrine fumée, passées à la poêle et coupées en petits carrés.

15 g d'estragon frais finement haché

Mettez tous les ingrédients dans un bol et mélangez intimement. Si nécessaire, salez et poivrez.

Salade de pommes de terre et mayonnaise traditionnelle

MAYONNAISE AUX ANCHOIS

Généralement associée au poisson, cette mayonnaise aux multiples emplois est également délicieuse avec des œufs à la coque ou pochés, un flan aux légumes, du veau, des sardines grillées au barbecue ou du bœuf fumé.

Mayonnaise (recette de base)

100 g de filets d'anchois finement hachés

Jus de 1/2 citron

Mettez tous les ingrédients dans un bol et mélangez bien. Salez et poivrez à votre goût.

MAYONNAISE AU CRESSON

Cette sauce haute en couleur est un délice ! Servez-la avec du bœuf, du saumon, de la bresaola (viande de bœuf séchée), de la truite ou des harengs.

Mayonnaise (recette de base)

50 g ou un bouquet de cresson finement haché

Mettez les ingrédients dans un bol et mélangez bien. Salez et poivrez à votre goût.

VINAIGRETTE TRADITIONNELLE

Voici la recette de base de la vinaigrette nature. Cette sauce, largement utilisée, peut servir à assaisonner tout type de salade.

4 cuillerées à soupe d'huile d'olive

1 cuillerée à soupe de vinaigre de vin blanc

1 cuillerée à café de moutarde de Dijon

Sel et poivre

Mettez tous les ingrédients dans un bocal à couvercle hermétique et secouez fort. Salez et poivrez à votre goût.

QUELQUES TRUCS

• *Sauf indication contraire, utilisez toujours de l'huile d'olive vierge extra. La vinaigrette nature est meilleure fraîche, mais on peut aussi la conserver 2 ou 3 jours au réfrigérateur dans un récipient hermétique.*

• *Pour relever une vinaigrette, ajoutez 1/2 gousse d'ail écrasée et mélangez bien au fouet.*

• *Pour lui donner plus de couleur et plus de vigueur, remplacez le vinaigre de vin blanc par du vinaigre de vin rouge.*

• *Un moyen rapide de modifier le goût d'une vinaigrette est d'employer une huile et un vinaigre aromatisés. On en trouve dans la plupart des supermarchés et des épiceries fines, mais on peut aussi les préparer soi-même (voir pages 15 et 16).*

• *En remplaçant les 4 cuillerées à soupe d'huile d'olive de la recette de base par 2 cuillerées à soupe d'huile de noix ou de noisette, vous obtiendrez une vinaigrette savoureuse.*

Pour rehausser le goût de votre vinaigrette, vous pouvez aussi remplacer l'un des ingrédients de base par un ingrédient de saveur différente. Par exemple, pour une vinaigrette à l'estragon, remplacez :

• le vinaigre de vin blanc par du vinaigre à l'estragon, ou

• la moutarde de Dijon par de la moutarde à l'estragon, ou

• l'huile d'olive par une huile aromatisée à l'estragon.

Pour obtenir une sauce encore plus parfumée, remplacez deux des ingrédients de base. Par exemple :

• le vinaigre de vin blanc et la moutarde de Dijon par du vinaigre à l'estragon et de la moutarde à l'estragon, ou

• l'huile d'olive et la moutarde de Dijon par de l'huile à l'estragon et de la moutarde à l'estragon, ou

• l'huile d'olive et le vinaigre de vin blanc par de l'huile à l'estragon et du vinaigre à l'estragon.

Votre vinaigrette peut être encore plus parfumée si vous remplacez tous les ingrédients nature (poivre et sel exceptés) par des ingrédients aromatisés. Toutefois, soyez prudents, car certains arômes sont dominants et une sauce dont tous les ingrédients sont aromatisés peut masquer le goût des aliments qu'elle accompagne. En fait, tout est affaire de goût, donc n'ayez pas peur de faire des essais !

Il existe une grande variété d'huiles, de vinaigres et de moutardes aromatisés. Supermarchés, épiceries fines et autres boutiques spécialisées se complètent pour vous offrir la gamme presque entière des produits disponibles. Essayez plusieurs produits pour trouver ceux qui correspondent le mieux à votre goût.

Voici quelques parfums intéressants à rechercher : basilic, cidre, citron, paprika, piment rouge, romarin, noisette, noix, sésame, amande, pistache, truffe, framboise, menthe, ail, aneth, sauge, thym, échalote et cerise.

Ci-contre *Bol de vinaigrette traditionnelle*

SAUCE AUX FRAMBOISES ET AUX NOIX

Un peu âpre, très fruitée, cette sauce est délicieuse avec une salade mélangée, des avocats, du poulet ou du fromage.

4 framboises fraîches, bien mûres, écrasées

15 g (1 cuillerée à soupe) de noix hachées

8 cuillerées à soupe d'huile de noix

2 cuillerées à soupe de vinaigre aromatisé aux framboises

Mettez tous les ingrédients dans un bocal à couvercle hermétiquement vissé et secouez bien, jusqu'à ce qu'ils soient intimement liés. Salez et poivrez à votre goût.

SAUCE AU FROMAGE BLANC ET À LA TAPENADE

Essayez cette sauce onctueuse d'une belle teinte brune avec du thon ou du saumon frais, du bar, des aubergines grillées ou des pâtes.

30 cl de fromage blanc

100 g d'olives noires dénoyautées

8 filets d'anchois égouttés et rincés

1 cuillerée à soupe de câpres

4 cuillerées à soupe d'huile d'olive

Zeste et jus de 1 citron

1/2 cuillerée à soupe de moutarde de Dijon

Mettez tous les ingrédients sauf le fromage blanc dans un mixer et mélangez jusqu'à l'obtention d'une pâte grossière. Transférez cette pâte dans une terrine et incorporez-y lentement le fromage blanc.

• Si vous souhaitez une sauce plus fluide, ajoutez 4 cuillerées à soupe d'eau.

SAUCE À L'HUILE DE NOISETTE ET AU VINAIGRE DE XÉRÈS

Une sauce puissante, au goût intense, qui va bien avec le fromage de chèvre, le poulet ou le poisson.

1/2 cuillerée à café d'ail écrasé

4 cuillerées à soupe d'huile de noisette

1 cuillerée à soupe de vinaigre de Xérès

Mettez tous les ingrédients dans un bocal à couvercle hermétique et secouez vigoureusement. Salez et poivrez à votre goût.

Ci-contre *Sauce au fromage blanc et à la tapenade*

SAUCE AU COULIS DE TOMATE

C'est une sauce résolument estivale, surtout si les tomates et les aromates viennent du jardin ! Servez-la avec de la roquette, des avocats, des tomates ou des légumes grillés au barbecue.

30 cl de jus de tomate frais

1 cuillerée à café de concentré de tomate

4 grandes feuilles de basilic frais hachées

1 cuillerée à café d'ail écrasé

6 cuillerées à soupe d'huile d'olive

1 cuillerée à soupe de vinaigre de vin blanc

Mixez tous les ingrédients dans un bol. Salez et poivrez à votre goût.

SAUCE AU PARMESAN

Cette sauce qui remporte un vif succès est délicieuse avec une salade verte et des croûtons bien croustillants, ou encore avec du poulet fumé ou du céleri.

1 œuf

1 cuillerée à café d'ail écrasé

Jus de 1 citron vert

1 cuillerée à café de moutarde de Dijon

10 cuillerées à soupe d'huile d'olive

8 filets d'anchois finement émincés

25 g (2 cuillerées à soupe) de parmesan finement râpé

2 cuillerées à soupe de yaourt

Mixez l'œuf, l'ail, le jus de citron et la moutarde jusqu'à ce que le mélange soit crémeux. Ajoutez alors l'huile d'olive, à raison d'une cuillerée à soupe à la fois seulement. Incorporez le restant des ingrédients. Salez et poivrez à votre goût.

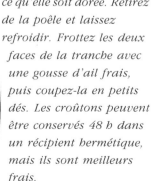

• *Croûtons : faites frire doucement dans de l'huile d'olive une tranche de pain dont vous avez retiré la croûte jusqu'à ce qu'elle soit dorée. Retirez de la poêle et laissez refroidir. Frottez les deux faces de la tranche avec une gousse d'ail frais, puis coupez-la en petits dés. Les croûtons peuvent être conservés 48 h dans un récipient hermétique, mais ils sont meilleurs frais.*

SAUCE AU SÉSAME GRILLÉ

Le goût caractéristique du sésame rehausse à la perfection celui d'une salade verte bien craquante, d'un artichaut, d'un poulet ou de crevettes.

25 g (2 cuillerées à soupe) de graines de sésame grillées

2 cuillerées à soupe d'huile de sésame

4 cuillerées à soupe d'huile d'olive

1 cuillerée à soupe de vinaigre de vin blanc

1/2 cuillerée à café de moutarde en grains

Faites doucement frire les graines de sésame dans de l'huile de sésame, jusqu'à ce qu'elles soient dorées. Laissez refroidir, mettez dans un bol, puis incorporez au fouet les autres ingrédients et mélangez le tout au batteur. Salez et poivrez à votre goût.

• *Cette sauce peut aussi être servie chaude.*

SAUCE ORIENTALE

Employez cette sauce épicée et parfumée pour mettre en valeur le goût délicat des crevettes, du poulet, des pâtes, des pois gourmands, du maïs et des crudités.

3 cuillerées à soupe de sauce soja

1 cuillerée à café de tabasco

1 cuillerée à café d'ail écrasé

1/2 cuillerée à café de cassonade

12 cl d'huile d'olive

1 cuillerée à soupe d'huile de sésame

3 cuillerées à soupe de vinaigre de vin rouge

1/2 cuillerée à café de poivre noir fraîchement moulu

Battez ensemble tous les ingrédients dans un bol ou passez-les au mixer jusqu'à ce que la cassonade soit dissoute et que la sauce soit homogène.

Ci-contre *Sauce au parmesan*

Sauce au chorizo et au cresson

SAUCE AUX ANCHOIS

Une sauce au goût de poisson délicieusement relevée, véritable régal avec le fromage, les aubergines grillées, les artichauts, le poisson ou une salade verte croquante.

8 filets d'anchois

1 cuillerée à café d'ail écrasé

8 cuillerées à soupe d'huile d'olive

2 cuillerées à soupe de vinaigre de vin blanc

Jus de 1/2 citron

Passez tous les ingrédients au mixer jusqu'à ce que le mélange soit homogène. Assaisonnez au poivre noir.

• Si la sauce est trop salée, ajoutez encore un peu de jus de citron, à raison d'une cuillerée à café à la fois, jusqu'à ce que le goût en soit rectifié.

SAUCE AU BLEU

Un grand classique, riche en saveur. Servez-la avec de la laitue croquante ou de la romaine, du poulet, du céleri ou du saumon.

3 cuillerées à soupe de crème aigre ou de crème fraîche

50 g de bleu râpé

1 échalote finement râpée

1 cuillerée à café d'ail écrasé

2 cuillerées à soupe de mayonnaise

3 cuillerées à soupe d'huile d'olive

1 cuillerée à soupe de vinaigre de vin blanc

1 cuillerée à soupe de moutarde de Dijon

Mettez tous les ingrédients dans un robot mixer et laissez tourner jusqu'à ce que le mélange soit lisse. Salez et poivrez à votre goût.

SAUCE AU CHORIZO ET AU CRESSON

Une merveilleuse association, délicieuse avec du porc, du salami, des poivrons, de la laitue croquante, du cresson, du fromage ou des pâtes.

50 g de chorizo en tranches fines

25 g (2 cuillerées à soupe) de feuilles de cresson

30 cl d'huile d'olive

2 cuillerées à soupe de vinaigre de vin blanc

Jus de 1 citron

1 cuillerée à café de moutarde de Dijon

Mettez tous les ingrédients sauf le chorizo dans un robot et mixez jusqu'à obtenir une purée onctueuse. Mettez le mélange dans un bol et ajoutez le chorizo. Salez et poivrez.

• Cette recette est meilleure si vous la gardez 4 à 6 heures au réfrigérateur avant de la servir. La saveur du chorizo se développera alors pleinement dans la sauce.

SAUCE AUX OLIVES NOIRES

Cette sauce d'une belle teinte brune crée un contraste spectaculaire avec des aliments de teinte pâle comme les artichauts, le poisson à chair blanche, le crabe, les coquilles Saint-Jacques ou les pâtes.

1 cuillerée à café de purée d'olives noires

4 cuillerées à soupe d'huile d'olive

2 cuillerées à soupe de vinaigre de vin blanc

Mettez tous les ingrédients dans un bol et battez au fouet jusqu'à ce que le mélange soit lisse. Salez et poivrez à votre goût.

SAUCE AUX AMANDES ET AU BASILIC

Cette sauce se distingue à la fois par son arôme et par sa saveur. Elle est parfaite avec une salade de tomates, de haricots verts ou de fromage de chèvre.

1 cuillerée à café de moutarde à l'ancienne

3 cuillerées à soupe de vinaigre de vin blanc

25 g (1 cuillerée à soupe) de feuilles de basilic frais finement hachées

25 g (1 cuillerée à soupe) d'amandes grillées finement hachées

30 cl d'huile d'olive

Battez ensemble moutarde, basilic et amandes grillées, puis incorporez progressivement l'huile tout en continuant à mélanger jusqu'à ce que la sauce soit homogène. Salez et poivrez.

SAUCE AU VINAIGRE BALSAMIQUE ET AUX PISTACHES

Cette sauce de couleur sombre, au goût très tonique, est succulente avec une salade chaude de foies de volaille. Elle accompagne aussi à merveille poivrons, oignons ou fromage de chèvre.

15 g (1 cuillerée à soupe) de pistaches finement hachées

1/2 cuillerée à café d'ail écrasé

4 cuillerées à soupe d'huile de noix

3 cuillerées à soupe d'huile à la pistache

3 cuillerées à soupe de vinaigre balsamique

Mettez tous les ingrédients dans un bocal à couvercle hermétique et secouez bien. Salez et poivrez.

SAUCE AUX NOIX ET AU FROMAGE BLANC

Le goût de la noix se marie très bien avec celui des tomates, du céleri, ou à une salade verte croquante.

17,5 cl de crème fraîche

100 g de fromage blanc

25 g de noix hachées

1 cuillerée à café d'estragon haché

4 cuillerées à soupe d'huile de noix

1 cuillerée à soupe de jus de citron

1/2 cuillerée à café de moutarde de Dijon

Passez la crème fraîche et le fromage blanc au robot mixer jusqu'à ce qu'ils forment un mélange homogène. Versez alors dans un bol pour y incorporer le reste des ingrédients. Salez et poivrez.

Salade d'aubergines et de poivrons rouges à la sauce aux olives noires

37

VINAIGRETTE À LA CIBOULETTE

Délicieuse sauce estivale, excellente avec le poisson à chair blanche, le riz, le risotto ou une salade de pâtes.

50 g de ciboulette hachée
2 cuillerées à soupe de vinaigre de vin blanc
6 cuillerées à soupe d'huile d'olive

Hachez finement un tiers de la ciboulette et mettez-la de côté. Passez le reste de la ciboulette et le vinaigre au robot mixer jusqu'à l'obtention d'une purée. Filtrez le liquide et jetez la pulpe. Incorporez l'huile d'olive au liquide et ajoutez la ciboulette hachée juste avant de servir. Salez et poivrez à votre goût.

SAUCE AU SAFRAN

Cette sauce riche en saveur et en arôme est excellente avec des moules, du crabe, du poulet ou des pâtes.

1/2 cuillerée à café de poudre ou de filaments de safran
1 échalote très finement hachée
1 cuillerée à café d'ail écrasé
1 cuillerée à soupe d'huile de noix
3 cuillerées à soupe d'huile d'olive
2 cuillerées à soupe de vinaigre de vin blanc
1 cuillerée à soupe de moutarde de Dijon

Mettez le safran, l'échalote, l'ail et les huiles dans une casserole à fond épais et faites chauffer lentement à feu doux jusqu'à ce que l'huile prenne la couleur du safran. Laissez refroidir, puis ajoutez le reste des ingrédients et mélangez au fouet jusqu'à l'obtention d'une sauce homogène.

SAUCE AUX ŒUFS DE MORUE FUMÉS

Cette sauce crémeuse, au goût subtil de poisson, est délicieuse avec les pâtes, l'avocat, les aubergines ou les cœurs de palmier.

25 g (2 cuillerées à soupe) d'œufs de morue fumés écrasés
Jus de 1 citron vert
Zeste râpé de 1 citron vert
1/2 cuillerée à café d'ail finement haché
6 cuillerées à soupe d'huile d'olive

Mélangez les œufs de morue, le jus et le zeste râpé de citron vert jusqu'à ce que les œufs se ramollissent. Ajoutez l'ail et, tout en continuant à remuer, incorporez lentement l'huile. Passez le tout au mixer jusqu'à l'obtention d'une crème onctueuse. Salez et poivrez.

• *Si vous ne trouvez pas d'œufs de morue fumés, remplacez-les par du tarama.*

SAUCE À LA TOMATE SÉCHÉE

Un accent méditerranéen ! Cette sauce colorée accompagne à la perfection le fromage de chèvre, le jambon de Parme, les cœurs de laitue ou les pâtes.

2 cuillerées à soupe de purée de tomates séchées au soleil
4 cuillerées à soupe d'huile d'olive
2 cuillerées à soupe de vinaigre de vin blanc

Battez ensemble tous les ingrédients jusqu'à ce que le mélange soit homogène. Salez et poivrez.

• *Pour donner plus de saveur et de consistance à la sauce, ajoutez 1 cuillerée à café de tomates séchées finement émincées.*

SAUCE AUX AMANDES GRILLÉES

Une sauce qui croque sous la dent, idéale pour « réveiller » salade, porc, céleri, pintade ou fromage.

25 g (2 cuillerées à soupe) d'amandes mondées, grillées et finement hachées
3 cuillerées à soupe de vinaigre de cidre
2 cuillerées à soupe d'huile de noix
3 cuillerées à soupe d'huile d'olive

Mettez tous les ingrédients dans un bol et mélangez-les au fouet. Salez et poivrez.

Ci-contre *Assortiment de pâtes avec une partie des ingrédients entrant dans la composition de la sauce à la tomate séchée*

SAUCE AU PISTOU

Cette sauce aux multiples emplois et au merveilleux parfum méditerranéen est délicieuse avec les pâtes, le fromage, le jambon de Parme, le salami, le saumon ou les coquillages.

25 g (2 cuillerées à soupe) de feuilles de basilic frais

25 g (2 cuillerées à soupe) de pignons

25 g (2 cuillerées à soupe) de parmesan

2 cuillerées à soupe d'ail écrasé

30 cl d'huile d'olive

Jus de 1/2 citron

Passez le tout au mixer jusqu'à l'obtention d'une crème lisse. Salez et poivrez à votre goût.

SAUCE AU PIMENT

Essayez cette sauce un peu piquante avec des pois chiches, des crevettes, du poulet ou des pâtes.

1 cuillerée à café de purée de piment rouge

4 cuillerées à soupe d'huile d'olive

1 cuillerée à soupe de vinaigre de vin blanc

Jus de 1/2 citron

Mettez le tout dans un bol et mélangez au fouet. Salez et poivrez à votre convenance.

SAUCE AUX HUÎTRES ET À L'ÉCHALOTE

Voici une sauce qui a du corps, terriblement appétissante, délicieuse avec des germes de soja, des nouilles, des pâtes ou des fruits de mer.

1 1/2 cuillerée à soupe de sauce aux huîtres

1 grosse échalote finement hachée

2 cuillerées à café de vinaigre d'alcool de riz

2 cuillerées à soupe d'huile de sésame

2 cuillerées à soupe d'huile d'olive

Mettez tous les ingrédients dans un bocal hermétiquement fermé et agitez bien. Salez et poivrez à votre goût.

VINAIGRETTE AUX FINES HERBES

Une sauce au goût rafraîchissant, idéale avec du filet de porc fumé, du saumon poché, du poulet, des pâtes, des avocats ou des tomates.

25 g (2 cuillerées à soupe) d'un mélange de cerfeuil, basilic et aneth

1 cuillerée à soupe de moutarde aux fines herbes

30 cl d'huile d'olive

2 cuillerées à soupe de vinaigre de vin blanc

2 cuillerées à soupe d'eau froide

Passez le tout au mixer jusqu'à l'obtention d'une crème onctueuse. Salez et poivrez à votre goût.

• *Si vous avez du mal à vous procurer l'une des herbes suggérées, remplacez-la par de la ciboulette, du fenouil ou de la marjolaine.*

SAUCE AUX POIVRONS

Une sauce au goût divin, idéale avec des pâtes, du poulet, du saumon ou de la raie.

1/2 poivron rouge

1/2 poivron jaune

1 cuillerée à café d'ail écrasé

5 cl de vinaigre de vin blanc

30 cl d'huile d'olive

Ébouillantez les poivrons jusqu'à ce que leur peau se détache et que leur teinte devienne plus foncée. Égouttez, laissez refroidir, puis pelez-les et retirez cœurs et graines. Passez-les au robot mixer avec l'ail et le vinaigre jusqu'à l'obtention d'une crème onctueuse. Transférez le mélange dans un bol et incorporez-y progressivement l'huile d'olive. Contrairement aux autres sauces, celle-ci a plus d'attrait quand l'huile et les autres ingrédients restent séparés.

• *Si vous ne trouvez pas de poivrons frais, achetez-en en conserve.*

Ci-contre Salade de pâtes accompagnée d'une sauce aux poivrons

SAUCE AUX AGRUMES

Facile et rapide à préparer, cette sauce est un véritable délice. À servir avec des coquillages, de la brème, des œufs de morue fumés et du crabe.

Zeste râpé et jus de 1/2 citron

Zeste râpé et jus de 1/2 citron vert

Zeste râpé et jus de 1/2 orange

1/2 cuillerée à café de sucre

8 cuillerées à soupe d'huile d'olive

1/2 cuillerée à café de sel

Mettez tous les ingrédients dans un bocal à couvercle hermétiquement vissé et secouez fort pour bien les mélanger. Assaisonnez au poivre fraîchement moulu.

SAUCE AUX NOIX

Cette sauce d'une saveur délicieuse accompagne à merveille le maquereau, la brème, le poulet ou une salade verte croquante.

50 g de noix finement hachées

2 cuillerées à soupe d'huile de noix

2 cuillerées à soupe d'huile d'olive

2 cuillerées à soupe de vinaigre de vin blanc

1 cuillerée à café de moutarde de Dijon

Mélangez tous les ingrédients au fouet jusqu'à l'obtention d'une sauce homogène. Salez et poivrez.

SAUCE AUX OLIVES VERTES

La puissante saveur méditerranéenne de cette sauce convient parfaitement aux pâtes, au calamar, aux artichauts et à la raie.

2 cuillerées à café de purée d'olives vertes

15 g (1 cuillerée à soupe) de basilic frais haché

4 cuillerées à soupe d'huile d'olive

2 cuillerées à soupe de vinaigre de vin blanc

1 cuillerée à café de moutarde de Dijon

Battez ensemble tous les ingrédients. Salez et poivrez.

Ci-contre *Salade de calamars et de harengs servie avec une sauce aux agrumes*

SAUCE AU PIMENT ET AU XÉRÈS

Une sauce à saveur forte, épicée, à servir avec du crabe, du poulet, des pâtes ou du fromage.

1 échalote finement hachée

1 cuillerée à café de piment rouge, débarrassé de ses graines et haché

1 cuillerée à café d'ail écrasé

1 cuillerée à café de sucre roux

4 cuillerées à soupe d'huile de noix

4 cuillerées à café de vinaigre de Xérès

1/4 cuillerée à café de sel

4 cuillerées à soupe d'huile d'olive

Mettez dans un bol tous les ingrédients, sauf l'huile d'olive, et mélangez-les bien au fouet. Tout en continuant à battre, incorporez lentement l'huile d'olive jusqu'à ce que la sauce soit bien homogène.

SAUCE AUX PIGNONS ET AU CHAMPAGNE

Une sauce légère, délicieuse avec du crabe, du homard, du poulet, du saumon ou des endives.

25 g (2 cuillerées à soupe) de pignons

2 cuillerées à soupe de vinaigre de champagne

2 cuillerées à soupe d'huile d'olive

2 cuillerées à soupe d'huile de noix

1 cuillerée à café de moutarde de Dijon

Étalez les pignons uniformément sur une plaque et mettez-les à four préchauffé (180° C/Th 6) pendant 3 à 4 minutes, jusqu'à ce qu'ils soient brun doré. Sortez-les du four et laissez-les refroidir. Mettez alors tous les ingrédients dans un bol et mélangez-les bien. Salez et poivrez.

• Cette sauce est meilleure quand on la prépare 4 à 6 heures à l'avance, les pignons ayant ainsi le temps d'exprimer tout leur arôme.

SAUCE AU CITRON ET À LA CORIANDRE

Très parfumée, cette sauce est un véritable régal avec du poulet, du calamar, des coquilles Saint-Jacques, des pois gourmands, des artichauts.

25 g (2 cuillerées à soupe) de feuilles de coriandre fraîche finement hachées

Jus de 2 petits citrons verts

2 cuillerées à soupe d'huile d'olive

2 cuillerées à soupe d'huile de noix

1 cuillerée à café de moutarde de Dijon

Battez ensemble tous les ingrédients jusqu'à ce que la sauce soit bien homogène. Salez et poivrez.

SAUCE AU YAOURT ET À L'ANETH

Superbe association estivale, à servir avec du concombre, du saumon, du poisson ou du fromage de chèvre.

25 g (2 cuillerées à soupe) d'aneth frais, finement haché

5 cuillerées à soupe de yaourt nature

1/2 cuillerée à café d'ail écrasé

Jus de 1/2 citron

Mettez le tout dans un bol et mélangez bien. Salez et poivrez à votre goût.

SAUCE THAÏ

Cette sauce orientale à saveur exotique est idéale pour relever une salade de germes de soja, de raie, de pois gourmands ou de grosses crevettes.

1 cuillerée à soupe de vinaigre d'alcool de riz

1 cuillerée à soupe de sauce soja légère

1 1/2 cuillerée à soupe de sauce nuoc-mâm

1/2 cuillerée à café de sauce chili

1 cuillerée à soupe d'huile de sésame

1 cuillerée à café de sucre brun

Mettez tous les ingrédients dans un bol et battez au fouet jusqu'à l'obtention d'une sauce homogène. Salez et poivrez à votre goût.

Ci-contre Coquilles Saint-Jacques sur lit d'algues, nappées de sauce au piment et au xérès

SAUCE AUX ANCHOIS ET AUX CÂPRES

Une sauce goûteuse, qui a du corps, idéale avec du poisson, une salade verte croquante ou des pâtes.

3 jaunes d'œufs durs

2 cuillerées à soupe de jus de citron

2 cuillerées à café de moutarde de Dijon

1 cuillerée à café d'ail écrasé

8 cuillerées à soupe d'huile d'olive

2 cuillerées à soupe de câpres hachées

6 filets d'anchois égouttés, rincés et finement hachés

Travaillez en beurre les jaunes d'œufs et le jus de citron. Puis, sans cesser de battre, ajoutez la moutarde et l'ail. En remuant doucement, incorporez ensuite l'huile d'olive au mélange jusqu'à ce qu'il commence à épaissir ; ajoutez alors les câpres et les anchois. Salez et poivrez si nécessaire.

SAUCE TOMATE PIQUANTE

Sauce onctueuse à l'arôme puissant, très goûteuse, à essayer avec des crevettes, du saumon ou une salade verte croquante.

10 cl de mayonnaise nature (recette page 23)

25 g (2 cuillerées à soupe) d'oignons finement hachés

50 g de poivron rouge débarrassé de ses graines et haché

1 petit cornichon finement haché

1/2 cuillerée à café de concentré de tomates

1 cuillerée à soupe de ketchup

1 cuillerée à soupe de Worcestershire sauce

2 cuillerées à soupe de cognac

Mettez le tout dans un bol et mixez jusqu'à l'obtention d'une crème onctueuse. Salez et poivrez à votre goût.

SAUCE À LA CRÈME FRAÎCHE ET À L'AVOCAT

Simple à préparer, cette sauce délicieusement crémeuse rehausse à merveille la saveur délicate de poissons à chair blanche comme le flétan, la perche et le turbot, ou du poulet et des crevettes.

1 avocat mûr, pelé, dénoyauté et haché

25 cl de crème fraîche

1 cuillerée à café d'ail écrasé

2 cuillerées à soupe d'huile d'olive

1 cuillerée à café de jus de citron

Mettez le tout dans un bol et mixez jusqu'à l'obtention d'une crème lisse. Salez et poivrez à votre convenance.
• Cette sauce est assez épaisse. Pour la rendre plus fluide, ajoutez 15 cl d'eau au mélange et passez au mixer.
• Pour éviter qu'elle brunisse, conservez-la au réfrigérateur dans un récipient hermétique, mais pas plus d'1 h 1/2 avant de servir.

SAUCE AU PIMENT ET À L'AIL

Une sauce piquante et épicée à servir chaude pour faire ressortir son agréable saveur aillée. Un régal avec des grosses crevettes, des pâtes ou des champignons.

5 cuillerées à soupe d'huile d'olive

1 piment rouge, débarrassé de ses graines et finement haché

1 cuillerée à café d'ail écrasé

1 échalote finement hachée

Jus de 1/2 citron

Mettez l'huile d'olive dans une casserole à fond épais et faites-y revenir le piment, l'ail et l'échalote jusqu'à ce qu'ils soient ramollis. Incorporez le jus de citron en mélangeant au fouet. Salez et poivrez. Servez aussitôt.

SAUCE À LA CACAHUÈTE

Cette sauce au goût étonnant est le résultat du mariage ingénieux d'ingrédients rarement associés. Essayez-la avec du céleri, du bleu, du poulet ou du poisson.

4 cuillerées à soupe de beurre de cacahuète « granité »

1 cuillerée à soupe de sauce soja

2 cuillerées à soupe de crème fraîche

1 cuillerée à café de gingembre finement râpé

1 cuillerée à café d'ail écrasé

3 cuillerées à soupe d'huile d'arachide

3 cuillerées à soupe de vinaigre de vin blanc

4 cuillerées à soupe d'eau

Passez le tout au robot mixer jusqu'à l'obtention d'une sauce homogène. Salez et poivrez à votre goût.

SAUCE PIQUANTE

Comme son nom l'indique, cette sauce se distingue par son goût épicé. Excellente avec le gibier, le pigeon.

1/2 cuillerée à café de tabasco

2 cuillerées à café de sauce soja

1 cuillerée à café d'ail écrasé

2 cuillerées à café de cassonade

17,5 cl d'huile d'olive

3 cuillerées à soupe de vinaigre de cidre

1/2 cuillerée à café de moutarde au raifort

1/4 de cuillerée à café de sel

Mixez tous les ingrédients jusqu'à dissolution du sucre. Assaisonnez de poivre fraîchement moulu.

Ci-contre Brochettes de poulet accompagnées de sauce à la cacahuète **49**

SAUCE À LA CORIANDRE ET AU CUMIN

Une sauce robuste, épicée, excellente avec les crevettes, le calamar, les pâtes ou le poulet.

1 cuillerée à café d'ail finement haché

1/2 cuillerée à café de cumin moulu

1/2 cuillerée à café de coriandre moulue

2 cuillerées à soupe de vinaigre de xérès

4 cuillerées à soupe d'huile d'olive

Mixez en crème ail, cumin, coriandre et vinaigre. Ajoutez peu à peu l'huile jusqu'à ce que le mélange soit onctueux.

SAUCE AU MIEL ET À LA MOUTARDE

Cette sauce à la saveur délicate et d'une belle texture donnera du relief à une salade de poulet, de pâtes, de fromage ou d'avocats.

2 cuillerées à soupe de miel liquide

4 cuillerées à soupe d'huile d'olive

1 cuillerée à soupe de vinaigre à l'estragon

1 cuillerée à soupe de moutarde à l'ancienne

Mélangez tous les ingrédients jusqu'à l'obtention d'une sauce homogène. Salez et poivrez à votre goût.

SAUCE AU YAOURT ET AU GINGEMBRE

Une sauce simple mais étonnante, où l'on retrouve bien la saveur de chacun des ingrédients. Délicieuse avec les crevettes, la pintade, le canard et le poulet.

15 cl de yaourt nature non liquide

1 cuillerée à soupe de miel liquide

1 cuillerée à café de gingembre confit finement haché

1 cuillerée à soupe de jus de citron

1 cuillerée à café de moutarde de Dijon

Battez ensemble tous les ingrédients jusqu'à ce que le mélange soit lisse et crémeux. Salez et poivrez. À servir frais.

Ci-contre *Confit de canard servi avec une sauce au yaourt et au gingembre*

SAUCE À L'AIL ET AU MIEL

L'association aigre-douce du miel et de l'ail accompagne à merveille le confit de canard, le poulet ou les pâtes.

2 cuillerées à soupe de miel liquide

4 cuillerées à soupe de jus de citron

1/2 cuillerée à café d'ail écrasé

3 cuillerées à soupe d'huile d'olive

Battez ensemble miel, jus de citron et ail jusqu'à ce que le mélange soit homogène. Sans cesser de remuer, incorporez lentement l'huile d'olive. Salez et poivrez à votre goût.

SAUCE AU QUATRE-ÉPICES

Une sauce piquante, épicée, merveilleuse avec du pigeon ou du gibier.

2 morceaux de sucre

6 cuillerées à café d'angostura bitters

1/4 de cuillerée à café de poudre quatre-épices

1/4 de cuillerée à café de moutarde à l'ancienne

4 cuillerées à café de vinaigre de vin rouge

5 cuillerées à soupe d'huile d'olive

Imbibez les morceaux de sucre d'angostura bitters, puis mélangez-les au fouet avec le quatre-épices, la moutarde et le vinaigre. Ajoutez lentement l'huile d'olive en remuant délicatement jusqu'à ce que le mélange épaississe un peu. Salez et poivrez à votre goût.

Sauce au kirsch et aux cerises noires

Cette sauce sophistiquée de couleur sombre est vraiment délicieuse avec des foies de volaille, du canard ou du porc.

4 cerises noires dénoyautées, bien mûres

1 cuillerée à soupe de kirsch

3 cuillerées à soupe d'huile d'olive

1 cuillerée à soupe de vinaigre de xérès

Mettez les cerises et le kirsch dans une casserole à fond épais et faites chauffer à feu moyen jusqu'à ce que le liquide prenne la teinte des cerises. Retirez du feu, incorporez l'huile d'olive et le vinaigre, salez et poivrez. Faites réchauffer à feu doux si nécessaire avant de servir.

Sauce aux framboises et au piment

L'association exotique du piment et de la framboise donne tout son caractère à cette sauce haute en couleur. Un régal avec des coquilles Saint-Jacques, des lentilles ou du calamar.

4 framboises fraîches, bien mûres

1/2 piment rouge, débarrassé de ses graines et finement émincé

1/2 cuillerée à café de purée de piment

1/2 cuillerée à café d'ail écrasé

3 cuillerées à soupe d'huile d'olive

1 cuillerée à soupe de vinaigre aromatisé à la framboise

Mettez tous les ingrédients dans une casserole et faites chauffer lentement à feu doux jusqu'à ce que les framboises commencent à se défaire et à colorer le liquide. Transférez alors le mélange dans un bol, battez-le au fouet jusqu'à ce qu'il soit bien homogène, salez et poivrez. Servez aussitôt.

Sauce aux raisins secs et au vinaigre balsamique

Une sauce un peu âpre, idéale pour relever une salade de foies de volaille.

25 g (2 cuillerées à soupe) de raisins secs

4 cuillerées à soupe de vinaigre balsamique

1/2 cuillerée à café d'ail écrasé

6 cuillerées à soupe d'huile d'olive

1 cuillerée à café de moutarde de Dijon

Mettez les raisins et le vinaigre dans un bol et laissez macérer 24 h. Ajoutez alors les autres ingrédients et battez au fouet jusqu'à ce que la sauce soit homogène. Salez et poivrez à votre goût.

Sauce au citron vert macéré au vinaigre

Essayez cette sauce forte et piquante avec de l'oie, du canard ou de la pintade.

2 cuillerées à café de citron vert macéré au vinaigre et finement haché

1 cuillerée à soupe de jus de citron vert

4 cuillerées à soupe d'huile d'olive

Mettez tous les ingrédients dans un bol et battez au fouet jusqu'à ce que la sauce soit homogène. Salez et poivrez à votre goût.

Sauce aux noix et à la betterave rouge

Cette sauce savoureuse, d'une belle couleur, accompagne à merveille crabe, gibier, pigeon et chou-fleur.

1 betterave rouge moyenne cuite et finement râpée

1 cuillerée à café de moutarde de Dijon

1 cuillerée à soupe de vinaigre de xérès

3 cuillerées à soupe d'huile de noix

Mélangez betterave, moutarde et vinaigre. Incorporez peu à peu l'huile d'olive, salez et poivrez.

Ci-contre *Ingrédients pour la sauce aux noix et à la betterave rouge*

SAUCE AU CARVI ET AU LARD FUMÉ

Voici une sauce séduisante à la fois par son parfum et par son goût. Servez-la chaude avec du porc, du fromage de chèvre, des poivrons et des aubergines.

4 cuillerées à soupe d'huile d'olive

75 g de lard fumé coupé en fines lamelles

1 échalote finement hachée

1 cuillerée à café d'ail écrasé

1 cuillerée à café de grains de carvi

2 cuillerées à soupe de vinaigre de vin rouge

2 cuillerées à soupe d'huile de noix

Mettez l'huile d'olive et le lard fumé dans une casserole à fond épais et faites frire jusqu'à ce que le lard soit croustillant. Ajoutez l'échalote, l'ail et les graines de carvi et laissez sur le feu encore une minute. Transférez le mélange dans un bol, incorporez le vinaigre et l'huile de noix en battant au fouet et servez. Cette sauce peut aussi être servie froide.

SAUCE À LA MENTHE ET À LA GELÉE DE GROSEILLES

Une sauce assez douce, délicieuse avec de l'agneau, des pommes de terre, des avocats ou des courgettes.

1 cuillerée à soupe de gelée de groseilles

2 cuillerées à soupe de vinaigre de vin rouge

4 cuillerées à soupe d'huile d'olive

15 g (1 cuillerée à soupe) de feuilles de menthe finement hachées

Mettez le vinaigre et la gelée de groseilles dans une casserole à fond épais et faites chauffer à feu doux jusqu'à dissolution de la gelée. Transférez le mélange dans un bol et laissez refroidir. Incorporez alors l'huile d'olive et battez au fouet jusqu'à ce que la sauce soit homogène. Ajoutez les feuilles de menthe fraîchement hachées, salez et poivrez.

Ci-contre *Ingrédients servant à la confection de la sauce au carvi et au lard fumé*

SAUCE À LA MOUTARDE ANGLAISE

Une sauce à saveur forte, délicieuse pour relever une salade de bœuf, du saumon, du fromage, des poireaux, des avocats ou des tomates.

1 cuillerée à café de moutarde anglaise

4 cuillerées à soupe d'huile d'olive

1 cuillerée à soupe de vinaigre de vin blanc

Battez ensemble tous les ingrédients jusqu'à ce que le mélange soit homogène. Salez et poivrez.

SAUCE AU THYM ET AU POIVRE VERT

Sauce piquante à forte saveur d'herbes fraîches. Idéale pour accompagner des betteraves rouges, du gibier, du fromage de chèvre ou du poulet fumé.

10 grains de poivre vert en conserve

1/2 cuillerée à café de feuilles de thym finement hachées

6 cuillerées à soupe d'huile d'olive

2 cuillerées à soupe de vinaigre de vin blanc

1 cuillerée à café de moutarde de Dijon

Battez ensemble tous les ingrédients jusqu'à ce que le mélange soit homogène. Salez et poivrez.

SAUCE AUX FINES HERBES

Une sauce légère, délicatement aromatisée aux herbes, délicieuse avec le bœuf, le gibier, le fromage de chèvre, les pâtes ou le poisson.

1 cuillerée à soupe de moutarde aux fines herbes

4 cuillerées à soupe d'huile d'olive

1 cuillerée à soupe de vinaigre de vin blanc

Mettez tous les ingrédients dans un bocal à couvercle hermétiquement vissé et secouez fort pour bien mélanger. Salez et poivrez.

SAUCE À L'ORANGE ET À L'ÉCHALOTE

Une sauce d'une exquise légèreté, un peu piquante, parfaite avec l'échine de porc, le poulet, la dinde, la pintade, les pâtes, les endives ou le cresson.

Zeste de 1 orange finement râpé

Jus de 1 orange

1 échalotte finement hachée

6 cuillerées à coupe d'huile d'olive

1 cuillerée à soupe de vinaigre de vin blanc

1 cuillerée à soupe de moutarde en grains

Mettez tous les ingrédients dans un bocal à couvercle hermétiquement vissé et secouez fort pour bien mélanger. Salez et poivrez à votre goût.

SAUCE À L'OIGNON ET AUX CÂPRES

Cette sauce substantielle, légèrement âpre, est à servir chaude avec du bœuf, du veau ou du poisson.

5 cuillerées à soupe d'huile d'olive

1/2 petit oignon rouge finement haché

1/2 cuillerée à café d'ail écrasé

1 cuillerée à café de câpres

1 cuillerée à café de vinaigre aux câpres (utilisez le liquide de conservation des câpres)

Faites chauffer 1 cuillerée à soupe d'huile d'olive dans une casserole à fond épais et faites-y fondre doucement l'ail et l'oignon en évitant qu'ils brunissent. Retirez du feu et incorporez au fouet le reste de l'huile et les autres ingrédients. Salez, poivrez et servez chaud.

Ci-contre *Échine de porc garnie de sauce à l'orange et à l'échalote*

SAUCE AUX MYRTILLES

Cette sauce délicieusement fruitée accompagne à merveille l'agneau. Vous pouvez aussi l'employer pour rehausser la saveur subtile du poulet, des avocats ou des asperges.

2 cuillerées à soupe de myrtilles fraîches

1 cuillerée à café de sucre

4 cuillerées à soupe d'huile d'olive

1 cuillerée à soupe de jus de citron

Passez tous les ingrédients au robot mixer jusqu'à ce que le mélange soit homogène. Salez et poivrez à votre goût.

SAUCE AU ROMARIN ET AUX AIRELLES

Une sauce évocatrice, d'une exquise saveur piquante. Succulente avec de l'agneau ou des aubergines et poivrons grillés.

1 brin de romarin finement haché

2 cuillerées à café de gelée d'airelles

1 cuillerée à soupe de vinaigre aromatisé à la groseille ou au romarin

4 cuillerées à soupe d'huile d'olive

Faites chauffer romarin, gelée d'airelles et vinaigre dans une casserole à fond épais jusqu'à dissolution de la gelée. Retirez du feu, laissez refroidir, puis incorporez peu à peu l'huile d'olive au fouet. Salez et poivrez.

• *Cette sauce peut être servie chaude.*

• *Vous pouvez remplacer la gelée d'airelles par de la gelée de groseilles.*

SAUCE AU RAIFORT

Une sauce crémeuse, un peu âpre, idéale pour relever la saveur du bœuf, du saumon ou des pâtes.

1 cuillerée à soupe de purée de raifort

2 cuillerées à soupe de yaourt nature

Jus de 1/2 citron

Mettez tous les ingrédients dans un bol et mélangez-les bien au fouet. Salez et poivrez à votre goût.

Ci-contre *Sauce au romarin et aux airelles*

SAUCE À LA POMME ET AU CIDRE

Cette sauce aigre-douce se marie fort bien au porc, au canard, à l'oie fumée et à la pintade.

1 petite pomme, pelée, épépinée et râpée

4 cuillerées à soupe d'huile d'olive

2 cuillerées à soupe de vinaigre de cidre

1 cuillerée à soupe de moutarde en grains

Mettez tous les ingrédients dans un bocal à couvercle hermétiquement vissé et secouez fort pour bien les mélanger. Salez et poivrez.

SAUCE AU CURRY

Rien ne vaut une bonne sauce au curry pour relever la saveur délicate des viandes blanches, comme le poulet ou le porc. Excellente aussi avec des pâtes et des fruits de mer.

2 cuillerées à café de raisins secs finement hachés

1/2 cuillerée à café de poudre de curry

1/2 cuillerée à café de curcuma

1/4 de cuillerée à café de gingembre en poudre

1/2 échalote finement hachée

1/2 cuillerée à café d'ail écrasé

6 cuillerées à soupe d'huile d'olive

2 cuillerées à soupe de vinaigre de vin blanc

1 cuillerée à café de moutarde de Dijon

Mettez tous les ingrédients dans un bol et battez au fouet jusqu'à ce que le mélange soit homogène.

SAUCE À L'OSEILLE ET AU RAISIN NOIR

Cette sauce aigre-douce est parfaite avec du porc, du jambon cuit et du poisson.

25 g (2 cuillerées à soupe) d'oseille finement hachée

50 g de petits grains de raisin noir sans pépins, pelés

1 cuillerée à soupe de vinaigre de vin blanc

1 cuillerée à café d'ail finement haché

5 cuillerées à soupe d'huile d'olive

2 cuillerées à soupe de yaourt nature

Mettez le tout dans un bol et mélangez, mais sans chercher à donner à la sauce un aspect homogène. On doit, au contraire, en distinguer les ingrédients. Salez et poivrez.

SAUCE AUX GRAINES DE PAVOT

Cette sauce au goût intense est tout simplement délicieuse avec des coquillages, du fromage de chèvre, des avocats ou des mangues.

1 cuillerée à soupe de graines de pavot

1 cuillerée à soupe de miel liquide

4 cuillerées à soupe d'huile d'olive

Jus de 1 citron

Mettez tous les ingrédients dans un bol et mélangez-les bien au fouet. Salez et poivrez à votre goût.

• Si vous servez cette sauce avec des aliments sucrés, supprimez le sel et le poivre et sucrez si nécessaire.

SAUCE AUX FRUITS EXOTIQUES

Cette sauce exquise peut être servie aussi bien avec une salade de fruits qu'avec des coquillages ou de la volaille.

3 cuillerées à soupe de jus de mangue frais

La pulpe de 2 fruits de la passion

1 cuillerée à café de gingembre finement râpé

6 feuilles de menthe fraîche

4 cuillerées à soupe d'huile aromatisée à la pistache

1 cuillerée à soupe de vinaigre aromatisé à la groseille

Mettez tous les ingrédients dans un bol et mélangez bien au fouet.

• Si vous ne trouvez pas de mangues fraîches, achetez une brique ou une bouteille de jus de mangue.

SAUCE AU THYM ET AU CITRON

Une sauce rafraîchissante, très parfumée, à servir avec du poulet, des artichauts, des œufs ou des pâtes.

30 cl d'huile d'olive

Jus et zeste râpé de 2 citrons

1 cuillerée à café de thym frais finement haché

1 cuillerée à café d'échalote finement hachée

1 cuillerée à café d'ail finement haché

Mettez le tout dans un bocal à couvercle hermétiquement vissé et secouez bien pour les mélanger. Salez et poivrez à votre goût.

Ci-contre *Fruits pour la sauce aux fruits exotiques*

SAUCE À LA FLEUR DE SUREAU

Un véritable nectar, irrésistible ! Servez-la avec du melon, des mangues ou une salade de fruits exotiques. Délicieuse aussi avec du crabe ou des huîtres.

4 cuillerées à soupe d'extrait de fleurs de sureau

4 cuillerées à soupe d'huile d'olive

1 cuillerée à soupe de vinaigre de vin blanc

Mettez tous les ingrédients dans un bocal à couvercle hermétiquement vissé et secouez fort.

• Pour une consistance plus fluide, battez tous les ingrédients au fouet dans un bol jusqu'à ce que le mélange commence à s'émulsionner. Arrêtez aussitôt de battre, sinon le mélange s'épaissirait à nouveau.

SAUCE À LA LAVANDE

Essayez la cuisine aux fleurs avec cette sauce au parfum délicat, divine avec du melon ou des pêches pochées.

Trois brins de 2,5 cm de lavande en fleurs

8 cuillerées à soupe d'eau

Jus de 1/2 citron

1 cuillerée à soupe de sucre en poudre

5 cuillerées à soupe d'huile d'olive

Retirez les fleurs des tiges et mettez-les dans une casserole à fond épais avec l'eau, le jus de citron et le sucre. Faites chauffer à feu doux pendant 10 à 15 minutes (si vous prolongez le temps de cuisson, la saveur peut devenir amère). Retirez du feu et filtrez. Laissez refroidir, puis incorporez l'huile d'olive au fouet.

SAUCE À LA CITRONNELLE ET AUX FRUITS DE LA PASSION

Légère et très parfumée, cette sauce aux multiples emplois accompagne à merveille aussi bien des fraises ou du melon que du poulet ou du poisson.

La pulpe de 4 gros fruits de la passion bien mûrs

4 grandes feuilles de citronnelle finement hachées

1 cuillerée à café de sucre brun

2 cuillerées à soupe d'huile aromatisée à la pistache

2 cuillerées à soupe d'huile d'olive

Mettez tous les ingrédients dans un bol et passez-les au mixer jusqu'à ce que la sauce soit homogène.

SAUCE AUX ABRICOTS ET AUX AMANDES

Une sauce fruitée, colorée, qui accompagne à merveille une salade de fruits frais, de l'ananas, du melon ou des avocats.

25 g (2 cuillerées à soupe) d'amandes effilées grillées

4 cuillerées à soupe de crème fraîche

4 cuillerées à soupe de jus d'orange

8 cuillerées à soupe d'eau froide

50 g d'abricots secs hachés

Passez au mixer tous les ingrédients, sauf les abricots, jusqu'à l'obtention d'une crème onctueuse. Ajoutez les abricots hachés pour donner à la sauce une agréable texture croquante.

• L'eau froide sert à accentuer la saveur rafraîchissante de cette sauce.

SAUCE À L'ORANGE SANGUINE ET AUX CLOUS DE GIROFLE

Une sauce d'une exquise fraîcheur, à la saveur franche, un peu épicée. Merveilleuse avec du melon, de la salade de fruits ou des fruits exotiques comme la mangue et la papaye.

60 cl de jus frais d'oranges sanguines

2 clous de girofle entiers, pilés

1 cuillerée à café de sucre roux

3 cuillerées à soupe d'huile d'olive

Jus de 1/2 citron vert

Faites réduire le jus d'orange, le sucre et les clous de girofle dans une casserole à fond épais jusqu'à l'obtention d'environ 15 cl de liquide sirupeux. Transférez ce liquide dans un bol et, après refroidissement, incorporez l'huile d'olive et le jus de citron. Mélangez bien.

Ci-contre *Pêches pochées accompagnées de sauce à la lavande*

INDEX

REMERCIEMENTS

Je souhaite exprimer toute ma gratitude à Simon Lowe, Andrew Leaman et Howard Malin, propriétaires associés du Feathers Hotel, pour l'aide permanente qu'ils m'ont généreusement apportée durant l'élaboration de ce livre, sans oublier Tom Lewis, le directeur efficace de cet établissement qui, entouré d'un personnel exquis, a rendu si agréables mes fréquentes visites et notre séjour pour les séances photo.

Je voudrais également remercier Mark Lake, de Taylor & Lake, d'avoir généreusement fourni les huiles, vinaigres et condiments pour les photographies.

Enfin, un grand merci à mon ami et collaborateur David Lewis, qui m'a permis de sortir des sentiers battus et de proposer des recettes plus originales que celles gravitant autour de la Royal Worcester !

Les éditeurs tiennent à remercier les propriétaires et le personnel du Feathors Hotel pour leur précieuse collaboration.

Garantie de l'éditeur

Pour vous parvenir à son plus juste prix, cet ouvrage a fait l'objet d'un gros tirage.
Malgré tous les soins apportés à sa fabrication, il est malheureusement possible
qu'il comporte un défaut d'impression ou façonnage. Dans ce cas, ce livre vous sera échangé sans frais.
Veuillez à cet effet le rapporter au libraire qui vous l'a vendu ou nous écrire à l'adresse ci-dessous
en nous précisant la nature du défaut constaté. Dans l'un ou l'autre cas, il sera immédiatement fait droit à votre réclamation.
Librairie Gründ - 60, rue Mazarine, 75006 Paris.

Adaptation française de Martine Richebé
Texte original de Sally Griffiths
Révision : Françoise Thechi

Première édition française 1995 par Librairie Gründ, Paris
© 1995 Librairie Gründ pour l'adaptation française
ISBN : 2-7000-5370-2
Dépôt légal : mars 1995
Édition originale 1994 par George Weidenfeld & Nicolson Ltd
sous le titre original *100 Great salad dressings*
© 1994 Sally Griffith pour le texte
© 1994 George Weidenfeld & Nicolson pour les photographies
Photocomposition Compo 2000, Saint-Lô
Imprimé en Italie